Cómo pintar al acı

Dedico este libro a mis cuatro nietos:
Georgie Carr, Ella Walker, William Hewetson-Brown, Hugo Walker.
y Oliver Hewetson-Brown.

Cómo pintar al Acrílico

WENDY JELBERT

Editor: Jesús Domingo
Coordinación editorial: Paloma González
Asesor técnico: Luis de la Cuadra

Publicado por primera vez por Search Press Limited (UK)

Título original: *Painting with Acrylics*
© 2000 de las fotografías y del diseño *by* Search Press Limited
© 2000 del texto *by* Wendy Jelbert

Copyright de esta edición:
© 2005 *by* Editorial El Drac, S.L.
Marqués de Urquijo, 34. 28008 Madrid
Tel: 91 559 98 32. Fax: 91 541 02 35
E-mail: info@editorialeldrac.com
www.editorialeldrac.com

Los editores agradecen a Winsor & Newton por el material
facilitado por éstos para la utilización en este libro.

ISBN: 84-96365-47-6
Depósito legal: BI-180-2005
Impreso en mccgraphics ELKAR
Impreso en España – *Printed in Spain*

Nota del editor

En todas las fotografías de las instrucciones paso a paso
aparece la autora, Wendy Jelbert, mostrando las diferentes
formas de pintar con acrílico. No se han empleado
modelos.

A pesar de que el autor y los editores han puesto todos los
medios a su alcance para garantizar que la información y
recomendaciones que contiene este libro sean las
correctas, declinan cualquier responsabilidad derivada de
su uso.

Página 1
Puerta de jardín
165 x 205 mm

Página 3
El viejo árbol
245 x 285 mm

Página siguiente
Parada del autobús
175 x 305 mm

Índice

Introducción   6

Materiales   8
La paleta • Pinturas • Papeles
Tablero de dibujo • Pinceles
Otros elementos

Mezcla de colores   12

Jugar con el acrílico   14
Técnicas de acuarela
Técnicas de óleo
Otras técnicas

Pintar cielos   20
Cielos sencillos – lavado gradual
Puestas de sol – húmedo sobre húmedo
Cielos tormentosos – técnicas de óleo

Flores en un acantilado   24
Desarrollo paso a paso

Ventana soleada   32
Desarrollo paso a paso

Escena de granja   42
Desarrollo paso a paso

Índice alfabético   48

Introducción

En los años veinte surgieron los aglutinantes sintéticos como medios para la pintura. Los muralistas mejicanos tuvieron la necesidad de encontrar una alternativa a la pintura al óleo y al fresco: una pintura de secado rápido y resistente a los cambios climáticos. Entonces descubrieron un agente ideal que ya se estaba utilizando para objetos de plástico moldeado y que, añadido a la pintura, proporcionaba todas las cualidades que buscaban estos artistas: una pintura de secado rápido y con una frescura y posibilidades que la hacían adecuada para murales y edificios públicos. Paisajistas norteamericanos como Morris Louis fueron los primeros en utilizar las pinturas acrílicas en la década de 1950.

Los acrílicos son increíblemente versátiles. Las técnicas de óleo y acuarela pueden emplearse con este medio, al igual que las técnicas puramente acrílicas, que resultan especialmente abiertas a toda clase de posibilidades creativas; también pueden combinarse todas las técnicas en un solo cuadro. Con la práctica se puede lograr una espontaneidad que servirá de inspiración para seguir experimentando.

Otra ventaja de la pintura acrílica es la posibilidad de utilizar una amplia gama de soportes (lienzo, papel, madera, metal o escayola), además de permitir aplicar capas nuevas de colores sin alterar las anteriores, dada su cualidad de secado rápido.

Durante los veinticinco años que he estado dando clases de todo tipo de técnicas, el acrílico no siempre fue un medio popular entre mis alumnos. Sus quejas frecuentes se refieren a su rápido secado y al brillo de los colores. Los que trabajan más despacio encuentran más problemas para lograr los resultados buscados. No obstante, hoy en día existen paletas especiales que mantienen la humedad de la pintura para retardar el tiempo de secado, permitiendo mezclar y manipular los colores según se va trabajando.

Quiero mostrar en este libro la versatilidad y las atractivas cualidades del acrílico, presentándolo como un medio que proporciona más libertad que limitaciones. Estas técnicas se describen con instrucciones paso a paso, y quedan ilustradas con una serie de obras realizadas. Espero que los principiantes, y quienes redescubran el acrílico por segunda vez, encuentren la inspiración en estas páginas y en poco tiempo puedan crear pinturas de las que se sientan satisfechos.

Conchas
205 x 155 mm
Estas conchas y caracolas presentaban superficies de muy variada textura, y empleé la técnica del empastado (pág. 16) para recrear el efecto sobre el papel.

Página siguiente
Costa
180 x 245 mm
Este sencillo paisaje de la costa muestra los sorprendentes resultados obtenidos con un pronunciado contraste de colores. Aquí, los azules (pintados como lavados graduales en las zonas correspondientes al mar) se conjugan bien con los tonos de ocre amarillo y tierra de siena tostado.

Materiales

A la hora de elegir pinturas, pinceles y otros materiales no debemos reparar en gastos; es preferible comprar lo más caro que podamos permitirnos. En efecto, las pinturas de artista son más puras y duraderas con menores cantidades, y con el paso del tiempo, resultan más económicas de usar. Además de los materiales que se muestran en las páginas siguientes, también utilizo una banqueta plegable y una mochila cuando salgo a pintar sobre el terreno.

Pinturas

La paleta es un elemento esencial en el equipo de todo artista. Para empezar, puede emplearse cualquier objeto parecido a un plato o un cuenco. Sin embargo, el acrílico seco no puede volver a utilizarse y resulta difícil de eliminar, por lo que es necesario que la pintura se mantenga húmeda durante toda la sesión de trabajo. Muchas tiendas de artículos de arte tienen paletas especiales para acrílico que mantienen la humedad de la pintura.

Esta clase de paletas suele tener una amplia zona para mezclar, compartimientos para los pinceles y unas cuantas pinturas, y una tapa transparente que debe volverse a cerrar después de cada sesión de pintura. En la zona de mezclar se coloca papel absorbente humedecido y, encima, se pone un papel de calcar o a prueba de grasa. Los colores se mezclan sobre el papel a prueba de grasa, el cual se reemplaza cuando se llena de pintura.

Mi paleta para acrílico con alguno de mis colores favoritos. Éstos son los siguientes:

Amarillo limón
Amarillo medio de azo
Rojo claro de cadmio
Carmín permanente
Azul ultramar
Azul de ftalo
Azul cerúleo
Verde oliva
Verde de ftalo
Ocre amarillo
Sombra tostada
Blanco titanio
Siena tostado
Violeta
Sombra natural

Mi cuaderno de bocetos

A donde quiera que vaya llevo mi cuaderno de bocetos y lo uso para captar el ambiente de las escenas sobre el terreno. La planificación de mis pinturas la realizo a partir de varios bocetos preliminares. Me encanta experimentar con alternativas diferentes: apuntes a lápiz o tinta, pruebas rápidas a color y "variaciones sobre el tema". Es muy importante planificar el trabajo de esta forma, ya que se evitan muchos errores que de otra forma suelen ocurrir de vuelta en el estudio.

Pinturas

Las pinturas acrílicas pueden adquirirse en tubos o botes, y en una extensa gama de exquisitos colores, similares a las acuarelas y óleos. Recomiendo comprar las más caras que permita el bolsillo de cada uno. Las pinturas acrílicas no pueden volver a utilizarse una vez que se secan, por lo que es necesario cerrar los tapones y las tapas inmediatamente después de su uso.

Papeles

El acrílico puede utilizarse sobre diferentes clases de papel, y también sobre muchas otras superficies no aceitosas, como cartón, lienzo, madera y metal. Yo suelo emplear láminas de papel para acuarela o un bloc de papel especial para acrílico.

El papel para acuarela puede adquirirse con diferentes acabados de superficie: prensado en caliente, de textura lisa; prensado en frío o no prensado, ligeramente texturado; y rugoso, o muy texturado. Estos papeles se fabrican en distinto gramaje: desde 190 g hasta 640 g. Mi papel preferido es el de acuarela de 300 g.

Los papeles y tableros para pintar con acrílico suelen llevar un acabado similar al lienzo que proporciona un buen "carácter" a la superficie. También puede comprarse un bloc de láminas para acrílico. Este material es excelente como soporte de la pintura y ofrece una variedad de superficies: lienzo, no prensado y texturado.

Tablero de dibujo

Un tablero de dibujo resulta muy útil para apoyar las láminas de papel. Un tablero adecuado podría ser una lámina de 6 mm de espesor de contrachapado o MDF. El tablero se recorta para adaptarlo al tamaño del papel empleado.

Pinceles

Es tan grande la variedad de pinceles en el mercado que la elección de los más adecuados puede ser una tarea ardua. Existen muchos tamaños y formas, con calidades muy diferentes. Mi consejo es comprar uno o dos y, con el tiempo, aumentar progresivamente la colección de pinceles; de nuevo, recomiendo adquirir los más caros que permita la economía de cada uno. Los pinceles siempre deben mantenerse totalmente limpios. Después de cada sesión de pintura hay que lavarlos con una solución jabonosa.

Yo suelo emplear pinceles planos (de los números 8, 12 y 18), redondos (del 3, 4, 6 y 8) y dos pinceles finos (números 0 y 1)

Otros materiales

Lápiz   Utilizo un lápiz de grafito 6B para los bocetos, y lápices de acuarela (también muy blandos) para apuntes rápidos en color.

Borrador blando   Este tipo de borrador especialmente blando es ideal para eliminar los trazos iniciales a lápiz sin dejar marcas en el papel.

Caballete   Recomiendo un caballete ligero de peso y plegable que pueda usarse en el estudio y en exteriores.

Medio de empaste   Puede añadirse a la pintura acrílica para crear texturas pesadas. Existen otros muchos medios como barnices y retardadores del secado de la pintura; conviene consultar al proveedor sobre estos productos.

Líquido de reserva   Suelo aplicarlo con un tiralíneas para evitar estropear los pinceles. Normalmente añado un poco de color al líquido de reserva transparente para que pueda apreciarse mejor en el papel. No disolver demasiado color en el líquido de reserva para que no pierda su capacidad de eliminarse fácilmente.

Cinta adhesiva   La empleo para sujetar la lámina al tablero de dibujar. También pueden utilizarse clips.

Papel absorbente   Se usa para levantar el color de los lavados y para limpiar los pinceles. También sirve de reservorio de humedad de la paleta especial para pintura acrílica.

Botes de agua   Uso un bote para el agua limpia que empleo en los lavados de color y otro diferente para aclarar los pinceles.

Espátula   Existen muchos tipos de espátula, con tamaños y formas diferentes, y se utilizan para aplicar la pintura acrílica, igual que los óleos.

Mezcla de colores

La destreza en la mezcla de los colores es fundamental para un buen artista. Las pinturas acrílicas pueden mezclarse entre sí para crear toda clase de colores; también pueden mezclarse con blanco para lograr tintes más pálidos o diluirse con agua para lograr sutiles tonos translúcidos. El aprendizaje de las mezclas con pinturas acrílicas es casi tan arduo como el ensayo de las escalas de los alumnos de piano. No hay atajos posibles; es esencial trabajar con dedicación para lograr el éxito. Siempre pueden comprarse todos los colores disponibles pero, además de resultar más caro, así no se obtendrán los tonos sutiles que producen las mezclas de colores. Éstas son algunas de las mezclas que he empleado en la pintura de este libro.

Amarillo medio de azo — Azul cerúleo

Verde oliva

El amarillo medio de azo y el azul cerúleo producen un buen verde para los árboles y las hojas. Los valores tonales pueden variarse con la mezcla de un verde oliva original.

Ocre amarillo — Azul ultramar

Verde vejiga permante

La combinación del ocre amarillo y el azul ultramar proporcionan otros tonos de verdes. Con la introducción de un verde vejiga original se obtienen colores más ricos.

Amarillo claro de cadmio — Violeta

Azul cerúleo

Al añadir morado al amarillo y al azul se logran verdes más oscuros. Una mayor cantidad de amarillo produce un verde soleado, mayor cantidad de azul produce un tono sombreado.

Rosa fluorescente

Carmín de alizarina permanente — Rojo claro de cadmio

Las mezclas de estos colores son muy apropiadas para flores de tonos brillantes como los geranios. Con más carmín se crean tonos más oscuros y profundos; efectos más claros y brillantes se consiguen añadiendo agua o colores rosas.

Siena tostado

Sombra natural

Azul cobalto

Estos tres colores son ideales para las rocas o las cortezas de los árboles. En las zonas más cálidas y claras puede utilizarse más siena tostado; con más sombra natural y azul cobalto se pueden pintar las partes más oscuras y sombreadas.

Azul de ftalo

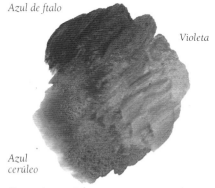

Violeta

Azul cerúleo

Para pintar cielos y mares se necesita una buena variedad de colores y tonos. Esta combinación de colores es muy útil para crear muchos de ellos. Los tonos más ricos y profundos se logran mezclando los tres; los tomos más claros necesitan el añadido de blanco titanio.

Geranios en una vieja urna
175 x 255 mm
Esta pintura está hecha con muchas de las combinaciones descritas en la página anterior.

Jugar con el acrílico

La versatilidad del acrílico abre grandes posibilidades de disfrutar pintando. El color puede utilizarse como la acuarela y el óleo, ofreciendo estimulantes retos a expertos y principiantes.

Técnicas de acuarela

Empleadas como acuarelas, las pinturas acrílicas pueden resultar suaves y acuosas, vigorosas y vibrantes o "húmedo sobre húmedo"; de hecho, algunas de las exposiciones londinenses de supuestas acuarelas contienen hasta un 75 % de acrílico.

El acrílico también ofrece la ventaja de que, una vez seco, los lavados son tan permanentes que pueden aplicarse veladuras sin miedo a que los colores inferiores se vean alterados. Si fuera preciso, los colores pueden limpiarse inmediatamente, antes de que se sequen, para volver a la capa inferior.

Éstas son algunas de las técnicas de acuarela que pueden emplearse con pinturas acrílicas. No se trata de una enumeración cerrada; estoy convencida de que con algo de experiencia, en poco tiempo pueden descubrirse otros muchos efectos diferentes.

Lavado gradual sencillo
Los lavados graduales son ideales para un cielo sencillo. El lavado se forma añadiendo agua al acrílico azul; con un pincel grande se pinta una banda de color a lo largo de la parte superior del papel. A continuación, se añade más agua al lavado y se pinta otra banda, con un tono más claro, solapando la anterior. Con más agua y capas de colores más claros se construye un lavado gradual desde tonos oscuros hasta más claros. En este ejemplo, detuve el lavado en la línea del horizonte y pinté ahí una banda de color fuerte para el mar. Las velas están pintadas con blanco titanio sin mezclar.

Lavados combinados
La combinación de dos lavados graduales sencillos puede crear algunos efectos interesantes. El primer lavado gradual de un color se realiza desde arriba hasta la mitad del papel. Se gira el papel y se procede igual con el segundo color de contraste, dejando que sus tonos más claros se confundan con los tonos más claros del color del lavado anterior. En este estudio de lavados combinados, el borde exterior del sol se pintó mientras aún estaban húmedos los lavados. Luego, una vez seca la pintura, se añadió el árbol y el centro del sol.

Levantado

Esta técnica puede utilizarse para pintar imágenes claras de bordes suaves, como las nubes. Se pinta un lavado sobre un papel humedecido y se presiona un trozo de papel absorbente sobre la pintura húmeda para levantar parte del color y crear una imagen más clara en la pintura. En este estudio del cielo he introducido grises en la parte inferior de las nubes para obtener un resultado más realista.

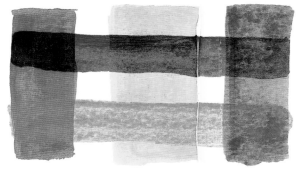

Veladuras

Los acrílicos diluidos son transparentes y pueden pintarse sobre otros colores secos. Es interesante experimentar con bandas de color cruzadas en ángulo recto. Los azules son apropiados para las sombras y los amarillos para escenas soleadas.

Húmedo sobre húmedo

Este estudio con amapolas está iniciado con una fusión de colores creada con la técnica de húmedo sobre húmedo. Primero, se moja el papel con agua limpia y se dejan caer los colores diluidos sobre la superficie húmeda. Luego, se inclina el papel, de lado a lado y de arriba abajo, para que los colores se mezclen entre sí. Se trata de una técnica fascinante que, después de un poco de práctica, permite controlar el flujo de los colores.

Lavado con pintura parcialmente diluida

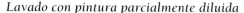

Cuando se diluye parcialmente la pintura se crean lavados con gotas de color nítido, pudiendo utilizarse esta mezcla para obtener efectos muy interesantes. Se moja el pincel con la mezcla diluida y se toca con la punta ligeramente el papel, seco o húmedo, creando manchas de color intenso sobre un lavado del mismo color. En este ejemplo, realicé un primer lavado en azul y, sin dejar secar el papel, pinté los árboles en marrón empleando esta técnica.

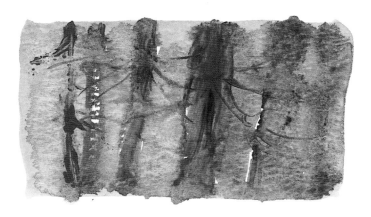

Técnicas de óleo

Las pinturas acrílicas pueden utilizarse directamente del tubo, empleando una espátula o un pincel, de forma similar a los óleos. A continuación se explican algunas técnicas para experimentar. Para retardar el secado de la pintura y mejorar su fluidez pueden mezclarse determinados medios especiales con el acrílico. Existen muchos medios para elegir; recomiendo consultar al proveedor de material artístico.

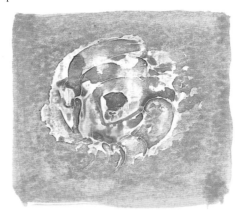

Empasto

El empasto consiste en aplicar capas espesas de pintura directamente del tubo mediante un pincel o una espátula para crear agradables texturas. Se pueden pintar formas más densas mezclando la pintura con medio de empasto acrílico. Cualquiera que sea el método utilizado, las texturas pueden dejarse como están o también pueden cubrirse parcialmente con una veladura. Es una técnica muy apropiada para pintar diseños sobre jarrones o para reproducir la textura de viejos muros y escaleras de piedra.

Transparencia

Se pinta un color sobre una superficie seca. Cuando la pintura está seca, se pinta encima otro color, más denso, dejando que el primero asome en algunas partes. Es una técnica muy útil para sugerir la nieve sobre las rocas en un paisaje montañoso.

Pintura con espátula

Un cuadro también puede pintarse utilizando la pintura directamente del tubo con la ayuda de una espátula, y experimentando con hojas de formas diferentes y trazos atrevidos. Los animados y texturados efectos de este trabajo son ideales para temas arquitectónicos, pero también pueden aprovecharse en muchos otros trabajos; por ejemplo, estos troncos de leña ardiendo, pintados enteramente con espátula.

Otras técnicas

Estas son otras dos técnicas con las que poder experimentar. El líquido de reserva se emplea para lograr puntos de luz y puede combinarse con cualquiera de las técnicas vistas hasta ahora. El método del levantado aleatorio, una técnica que sólo puede emplearse con pintura acrílica, crea un comienzo libre y apasionante para un cuadro.

Resulta muy entretenido jugar con estos trucos que mejoran los resultados y ofrecen distintas formas de pintar un tema. Espero que también despierten la imaginación del lector para pintar cuadros con motivos aún más diversos.

Líquido de reserva

El líquido de reserva repele la pintura, de manera que puede utilizarse para reservar zonas en blanco del papel. También puede usarse en zonas pintadas y secas que vayan a pintarse con otra capa encima (veladuras, etc.). El líquido de reserva se aplica con un tiralíneas o un pincel viejo, y se deja secar. A continuación se pinta por encima y, una vez seca toda la pintura, se raspa el líquido seco para dejar a la vista el blanco del papel o el color de la capa inferior. No conviene aplicar líquido de reserva en capas demasiado espesas pues resultaría difícil de eliminar. Esta técnica es muy útil para pintar imágenes como los árboles de este ejemplo, o para detalles en plantas o motivos arquitectónicos.

Levantado aleatorio

Esta técnica se basa en la impermeabilidad del acrílico una vez seco, aun cuando esté mezclado con agua. Esta característica puede aprovecharse para obtener resultados fascinantes e imprevisibles. Se aplican capas de pintura de espesores diferentes sobre el papel, se seca éste parcialmente (con un secador de cabello), se sumerge el papel en agua limpia y se frota la superficie con los dedos. Parte del color aún mojado se levantará, dejando a la vista el blanco del papel (o colores apagados) con formas aleatorias.

Amapolas

255 x 180 mm

Éste es un motivo muy típico en pintura. Las amapolas son perfectas para practicar las técnicas de la acuarela por su forma de fluir entre el entorno inmediato.

Primero utilicé un lápiz para dibujar un boceto de la cabeza de las flores, las yemas y los tallos, y a continuación apliqué un líquido coloreado de reserva con un tiralíneas.

Una vez seco el líquido de reserva, humedecí el papel y pinté alrededor de las amapolas con una mezcla verde clara hecha con ocre amarillo y verde oliva. Sin esperar a que secara pinté rápidamente las flores con tonos rosas y rojos, dejando que los colores se mezclaran en el papel. Luego, añadí toques oscuros con azules y verdes en las cabezas de las flores y en la parte derecha. Cuando la pintura estuvo completamente seca eliminé el líquido de reserva raspando con cuidado.

Después intensifiqué las sombras del fondo, utilicé ocre amarillo y verde oliva para añadir detalles en la cabeza de las flores y pinté las yemas y las margaritas con un pincel fino. Por último, lavé algunos de los pétalos de las margaritas con tonos azul claro y dejé otros más blancos.

Paisaje con nieve

255 x 180 mm

Esta sencilla composición está pintada con trazos aproximados y dispersos, empleando mezclas relativamente secas de acrílico como si fueran óleos.

Para el boceto del árbol, el camino y la casa, utilicé un pincel fino y sombra natural. Cuando estuvieron secas estas marcas, cubrí toda la superficie con una mezcla acuosa de ocre amarillo a modo de capa inferior para unificar todos los elementos de la pintura.

A continuación apliqué una mezcla de azul cobalto y blanco titanio para el cielo y los árboles lejanos, y una mezcla ligeramente más clara para el tejado. Pinté con violeta y blanco titanio el primer plano y las zonas sombreadas bajo el árbol y a lo largo del camino.

El cielo, los árboles del fondo y la parte del primer plano están rematados con capas espesas de azules y morados, dejando pequeños destellos del ocre amarillo original asomando y aportando brillo. Pinté la casa y extendí el color por la nieve circundante y a través del camino hasta el árbol. Más tarde utilicé la espátula para espesar la nieve con pequeños toques de azules más claros.

Los detalles del árbol y los postes de la cerca se añadieron con un pincel fino y siena tostado y azules. Por último, pinté las figuras del hombre y el perro como puntos focales de la pintura.

Pintar cielos

El cielo tiene una magia única; hay pocas sensaciones como sentarse a contemplar sus formas y colores, siempre cambiantes. Hasta un cielo completamente azul varía su tono a medida que avanza el día. Para pintar un buen paisaje, el cielo debe estar en armonía con la escena que se ve bajo él. Si el tema principal está lleno de detalles es recomendable elegir un cielo sencillo. En estas páginas veremos tres ejemplos de cielos, cada uno pintado con una técnica diferente.

Cielos sencillos – lavado gradual

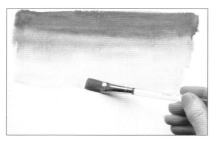

1. Humedecer el papel con agua limpia. A continuación, con largos trazos horizontales pintados con un pincel grande y plano, aplicar lavados graduales de azul ultramar. Continuar pintando hacia abajo del papel, diluyendo los tonos según se acerca el horizonte.

2. Humedecer un trozo de papel absorbente y presionar ligeramente para resaltar las nubes. Es necesario trabajar deprisa, utilizando cada vez una parte limpia del papel absorbente para levantar el color.

3. Mezclar un lavado gris fluido a partir de azul ultramar y un toque siena tostado, y pintar zonas sombreadas para recrear la parte inferior de las nubes.

4. Diluir levemente la mezcla gris y pintar con ella los bordes de las nubes más lejanas para completar el cuadro.

Puestas de sol – húmedo sobre húmedo

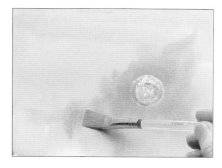

1. Con un tiralíneas líquido de reserva se crea una forma circular para el sol.

2. El papel se humedece con agua limpia. Se aplica un lavado naranja con una mezcla de amarillo medio de azo y rojo claro de cadmio. Se añade un toque rosa fluorescente a la mezcla y se aplica alrededor del sol, dejando que los bordes se confundan con el amarillo aún húmedo.

3. Las nubes que rodean al sol se crean con un lavado de violeta. Unos toques de azul ultramar, marrón y agua limpia completan las formas de las nubes.

4. Una vez seca toda la pintura, se frota el líquido de reserva para dejar entrever el blanco del papel.

5. A continuación, se pinta el sol con amarillo medio de azo diluido, debilitando el color según se va pintando su forma. Por último, se emplea violeta para añadir jirones de nubes atravesando el sol.

Cielos tormentosos – técnicas de óleo

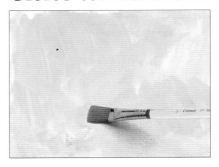

1. Utilizando intensidades diferentes de color, se extiende al ocre amarillo con suaves golpecitos de pincel en todas las direcciones del papel. Se deja secar la pintura.

2. A continuación, se extiende con toques de pincel una mezcla de azul ultramar y blanco titanio sobre el amarillo, dejando a la vista parte de este color. Según se progresa hacia abajo del papel, se incrementa la cantidad de blanco titanio de la mezcla, introduciendo gradualmente pinceladas más suaves.

3. Se añaden toques de siena tostado y azul ultramar al blanco titanio, y, con una espátula, se pintan algunas nubes. Con la hoja de la espátula se crean remolinos y texturas.

4. Por último, se introducen puntos de luz con blando titanio y un poco de siena tostado.

Nubes de tormenta

340 x 245 mm

Esta impresionante escena expresa la magia de un día tormentoso pero soleado. Los rayos del sol rompiendo las nubes amenazadoras resaltan la luminosidad de la media distancia. Esta zona de luz proporciona un contraste severo entre la oscuridad del fondo y las siluetas de los arbustos del frente.

Flores en un acantilado

Considero que los cuadros son "poesía visual" y, por tanto, su composición merece especial atención y reflexión. Es recomendable hacer una especie de lista mental con los puntos clave que recordar. Así, debemos hacernos una serie de preguntas. ¿Por qué hemos elegido este paisaje? ¿Qué hay en él que nos guste? ¿Cuáles son los puntos focales? ¿Es necesario variar la composición? ¿Qué colores hacen falta? En efecto, son muchas las preguntas que deberíamos contestar antes de empezar a pintar.

Lo ideal es que el punto focal esté ligeramente descentrado, tanto en sentido horizontal como vertical: cerca de un tercio hacia el interior del papel desde uno de los lados, y otro tercio hacia el centro desde la parte superior o inferior. Este punto deberá ser el más luminoso, el más oscuro, el más detallado o el más colorido de la composición.

Los problemas iniciales de la composición pueden resolverse dibujando algunos bocetos previos. Descubrí este atractivo paisaje mientras paseaba por arriba de un acantilado y se me ocurrió dibujar algunos apuntes para utilizarlos posteriormente. Dibujé varios bocetos con perspectivas ligeramente diferentes hasta que quedé satisfecha con la composición. Aquí pueden apreciarse algunos de estos bocetos, incluido el que escogí para este ejemplo.

La pintura está realizada sobre un papel para acuarela de 405 x 305 mm y 330 g. Para las flores y hierbas en primer plano utilicé líquido de reserva, y empleé lavados graduales, lavados combinados y técnicas de húmedo sobre húmedo para esbozar los colores de fondo.

Materiales

Ocre amarillo
Azul ultramar
Morado
Siena tostado
Verde de ftalo
Verde oliva
Sombra natural
Amarillo medio de azo
Lápiz 2B
Líquido de reserva y tiralíneas
Pincel del núm. 8
Pincel fino del núm. 1
Papel absorbente

En este boceto, el primero que dibujé, marqué los diferentes tonos apreciables desde mi posición, indicando los ángulos y las amapolas y la hierba del primer plano. Se trata de una composición razonable con abundancia de detalles en primer plano, algunas formas y texturas interesantes en el medio y un horizonte plano.

Este otro boceto está hecho desde una altura mayor y algo más a la izquierda que el anterior. La masa de tierra distante tiene ahora unas formas más interesantes y, en primer plano, hierbas altas y margaritas han reemplazado a las amapolas. Sigue siendo una buena composición, pero se me antoja algo escasa de ambiente y temperamento.

En este boceto me situé todavía más a la izquierda para tener a la vista otro promontorio en la media distancia que, pensé, aportaría mayor interés al paisaje. También me alejé un poco del borde del acantilado, perdiendo la playa cercana y aumentando el volumen del follaje en primer plano.

Éste es el boceto final que elegí para trabajar mi composición. Al elevar un poco mi ubicación volví a tener en perspectiva la línea de costa cercana. Esta composición ya presenta "líneas rítmicas" sólidas y tonos bien equilibrados.

1. Los elementos principales de la composición se esbozan con un lápiz 2B.

2. Con un tiralíneas se aplica el líquido de reserva sobre las cabezas de las margaritas y algunos tallos de las flores y hierbas.

3. El papel se humedece con agua limpia utilizando un pincel plano y se pinta rápidamente un lavado de color por toda la superficie. El promontorio de media distancia se pinta con un lavado de ocre amarillo. Los promontorios del fondo se pintan con un lavado de azul ultramar muy diluido, añadiendo un toque de violeta para las tierras más lejanas. El mar se pinta con azul ultramar. La zona en primer plano se compone con siena tostado y, a continuación, con un poco de verde de ftalo. Los colores deben dejarse mezclar unos con otros. Por último, se aplica un lavado débil de azul ultramar en la parte del cielo. Dejar secar la pintura.

4. Mezclar un lavado diluido de verde oliva con un toque de siena tostado y, empezando por el lado derecho, aplicarlo sobre el primer plano. Oscurecer el lavado con azul ultramar y emplear el borde del pincel para crear las hojas de la hierba.

5. Añadir más azul ultramar y pintar el lado izquierdo del primer plano, apagando el color hacia el borde del cuadro.

6. Mezclar sombra natural con siena tostado y, con pinceladas anchas y verticales, añadir toques oscuros al promontorio de la media distancia. Llevar el color hacia abajo hasta las margaritas del primer plano.

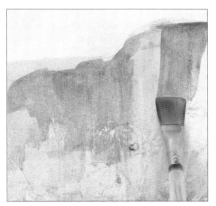

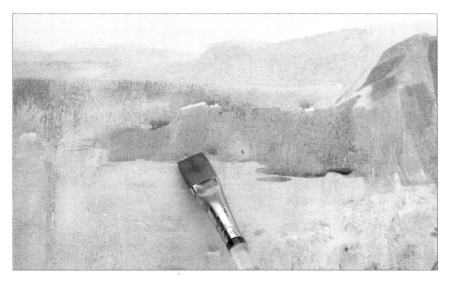

7. Continuar pintando el promontorio con siena tostado, añadiendo luego azul ultramar para echar ligeramente hacia atrás el afloramiento rocoso.

8. Añadir una veladura con violeta, algo más cálido que el primero, a los promontorios lejanos.

9. Mezclar violeta, siena tostado y azul ultramar para resaltar las sombras de rocas cercanas, llevando el color hasta la zona superior de las margaritas.

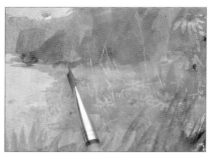

10. Utilizar una mezcla de verde oliva y siena tostado para intensificar la hierba.

11. Extender un lavado de violeta por la playa cercana, variando el tono del color para crear profundidad. Dejar secar la pintura.

12. Raspar con suavidad el líquido de reserva para dejar a la vista el blanco del papel bajo las margaritas y la hierba.

13. Con un pincel fino se esbozan los centros amarillos de las flores; unas se pintan con ocre amarillo y otras con amarillo medio de azo. Variar los tonos para crear formas y añadir después pinceladas de siena tostado para las sombras.

14. Los tonos del fondo se construyen con un lavado de verde de ftalo y amarillo medio de azo, empleando un pincel plano para la veladura de las hierbas conservadas en blanco por el líquido de reserva. Con un pincel fino se añaden más espigas a la hierba en diferentes tonos de verde. Dejar secar la pintura.

15. Mezclar un lavado débil de azul ultramar y violeta y aplicarlo con un pincel plano por los pétalos. Con un trozo limpio de papel absorbente para levantar parcialmente el color y crear sombras y puntos luminosos.

La pintura terminada

Orilla rocosa

175 x 145 mm
Este típico paisaje marino de Cornualles muestra un delicioso
contraste de tono entre las rocas, el mar y el cielo. Utilicé
líquido de reserva en los puntos luminosos de las olas y una
espátula para lograr la textura de las rocas.

Página siguiente
Dunas
175 x 225 mm
Pinté este paisaje atraída por la forma en que los colores claros
del mar aparecían asomando entre las dunas y la vegetación
del primer plano y la costa del fondo, ofreciendo un vivo
contraste de tonos y texturas.

Ventana soleada

Durante unas vacaciones pintando en Bretaña con algunos de mis alumnos descubrimos esta colorida pared. Dibujé un boceto a lápiz y tomé fotografías para recordar mejor los colores y las texturas. La técnica del empasto es perfecta para describir la textura de los viejos muros de piedra; en este caso, también utilicé veladuras y transparencias para reproducir los colores de la piedra. El líquido de reserva es muy útil para acentuar la luminosidad, mientras que el método húmedo sobre húmedo recoge bien el bullicio del colorido de los geranios. Este cuadro está pintado sobre papel de 300 g, y de 405 x 305 mm.

Materiales

Blanco titanio
Siena tostado
Sombra natural
Gris de Payne
Violeta
Naranja cadmio
Amarillo medio de azo
Verde vejiga permanente
Verde oliva
Rosa fluorescente
Azul ultramar
Ocre amarillo
Lápiz 2B
Líquido de reserva y tiralíneas
Espátula
Pincel plano del núm. 10
Pincel redondo del núm. 6

Boceto a lápiz dibujado sobre el terreno. Compárese esta composición "rectangular" con la imagen distorsionada de la referencia fotográfica.

Las fotografías son muy útiles como referencia de los colores y texturas. Además, muchas veces muestran numerosos detalles accidentales y perspectivas peculiares. En este caso, la fotografía está tomada desde un estrecho callejón que no permitía echarse más atrás para captar la vertical exacta.

1. Dibujar un esbozo de los elementos principales de la composición con un lápiz 2B. A continuación, utilizando líquido de reserva (mezclado con un toque de color) y un tiralíneas se cubre parte del enlucido de la pared y de las celosías de las contraventanas.

2. Con una espátula, aplicar blanco titanio directamente del tubo en la piedra del muro. Trabajar con pinceladas verticales y horizontales para crear diferentes texturas. Dejar secar la pintura.

3. Aplicar un lavado de siena tostado y tierra natural con un pincel plano en la pared de piedra. Dejar secar la pintura.

4. Mezclar gris de Payne con un poco de blanco titanio y aplicar esta veladura sobre la pared de piedra (excepto en los dinteles) para variar los tonos. Hay que dejar que el color se concentre en los huecos profundos de separación de la textura del empasto.

5. Mezclar un lavado bien aguado de violeta y sombra natural y pasar el dedo por las cerdas del pincel para salpicar la pintura aleatoriamente sobre la pared de piedra pintada.

  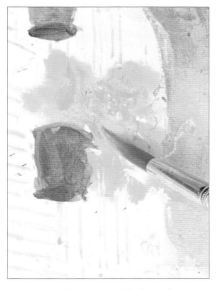

6. Mezclar sienta tostado y naranja cadmio y pintar con un pincel redondo las macetas en varios tonos distintos. Añadir un poco de sombra natural para crear sombras y formas.

7. Volver a humedecer las zonas de las plantas.

8. Pintar las partes de las plantas con amarillo ocre, empleando la técnica húmedo sobre húmedo, y retocar con un poco de verde vejiga permanente.

9. Añadir pinceladas de verde oliva a las plantas para crear formas, y unos toques de rosa fluorescente para las flores.

10. Las partes oscuras de las ventanas se colorean con una mezcla de azul ultramar y amarillo medio de azo, más un toque de verde vejiga permanente.

11. Utilizar violeta para crear sombras más profundas en las ventanas y delimitar los contornos de las plantas.

12. Las contraventanas se empiezan a definir pintando las rejillas con una mezcla de azul ultramar y un toque de verde vejiga permanente. Esperar hasta que la pintura esté seca.

13. Aplicar una veladura débil de ocre amarillo en las contraventanas.

14. Añadir más color al arco
de la ventana empleando una
mezcla de siena tostado con un
toque de ocre amarillo. Variar el
tono para crear formas y sombras.
Dejar secar la pintura.

15. Eliminar cuidadosamente el líquido de reserva raspando con
suavidad.

16. Aplicar una veladura de lavados diluidos de los tonos de fondo sobre el muro de piedra, las plantas y las flores para suavizar todas las partes expuestas de papel en blanco.

17. Mezclar violeta con azul ultramar y un toque de siena tostado para añadir sombras a lo largo de la pared, las contraventanas, las macetas y las plantas. Esperar hasta que la pintura esté seca.

18. Finalmente mezclar directamente del tubo blanco titanio y ocre amarillo, aplicando la pintura con una espátula en una capa fina de color por las zonas soleadas de la pared de piedra.

Página siguiente
La pintura terminada

Puerta toscana con flores
155 x 185 mm
He empleado la técnica del empasto descrita en la
página 33 para reproducir las texturas que el
paso del tiempo ha ido labrando en este muro
antiguo. El azul claro de la vieja puerta contrasta
adecuadamente con los tonos de gris, siena
tostado y ocre amarillo del muro de piedra.

Página siguiente
Puerta griega con una silla vieja
370 x 495 mm
*La atmósfera de esta pintura está basada en el contraste entre los claros
y los oscuros. Encuentro especialmente deliciosa la parra soleada, la luz
reflejada en la vieja silla y los cardos en primer plano, elementos todos
pintados con líquido de reserva en las primeras fases de la composición.
También utilicé un surtido de texturas diferentes para pintar los muros
y las partes en primer plano.*

Jelbert

Escena de granja

Me encanta pintar toda clase de animales, sobre todo gallos y pollos. Para esta pintura me serví de dos fotografías de referencia; una de la cerca junto a una carretera y otra de un grupo de gallos.

En este ejemplo utilicé lavados sencillos, técnicas de levantado controlado y aleatorio de la pintura, empasto, lavados parcialmente diluidos, transparencias y veladuras. Esta pintura está hecha sobre papel de acuarela de 300 g, y de 405 x 305 mm.

Las dos fotografías empleadas para componer esta pintura. Cuando trabajo con fotografías suelo esbozar los perfiles directamente en el papel de la pintura final. Sin embargo, aquí incluyo un boceto a lápiz para mostrar cómo he combinado los detalles de cada fotografía para llegar a la composición final.

Materiales

Azul cerúleo
Azul ultramar
Verde vejiga permanente
Verde oliva
Siena tostado
Ocre amarillo
Violeta
Amarillo medio de azo
Rojo claro de cadmio
Blanco titanio
Medio de empasto
Lápiz 2B
Pincel plano del núm. 10
Pincel redondo del núm. 6
Pincel fino del núm. 1
Espátulas
Papel absorbente
Barreño con agua
Cinta adhesiva

1. En el papel se dibujan los elementos principales usando un lápiz 2B.

3. Antes de que la pintura esté seca, levantar parte del color de la gallina con un trozo húmedo de papel absorbente.

2. Con un pincel plano se extiende un lavado claro de azul cerúleo sobre el cielo y los gallos, y a continuación otro lavado claro de azul cerúleo mezclado con verde vejiga permanente sobre el follaje. Se añade más azul y algo de verde oliva a la mezcla para esbozar la vegetación alrededor de los animales. Con un lavado parcialmente diluido se extiende azul ultramar sobre ambos gallos.

4. Reponer las zonas oscuras con un pincel plano y una mezcla de verde oliva y azul ultramar.

5. Dejar secar parcialmente la pintura y luego introducir el papel en un barreño con agua limpia. A continuación, frotar con suavidad la superficie pintada para que la imagen se descomponga ligeramente.

6. Fijar el papel húmedo al tablero de dibujo con tiras largas de cinta adhesiva y dejar que se seque el papel sobre una superficie plana.

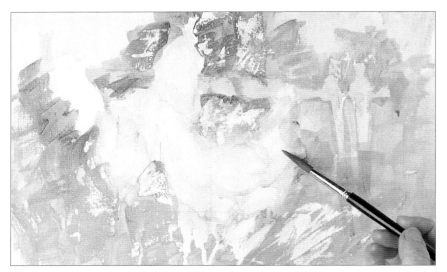

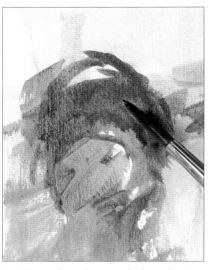

7. Mezclar ocre amarillo, siena tostado y un toque de azul ultramar para pintar un lavado en el cercado. Añadir pinceladas del mismo color en los animales para definir formas.

8. Pintar las plumas de la cola del gallo con mezclas de violeta y azul ultramar.

9. Diluir la mezcla y definir las patas y las plumas del cuello del gallo.

10. Pintar la forma de la gallina igual que se ha hecho con el gallo, empleando un lavado diluido de azul ultramar. A continuación, aplicar una veladura con amarillo medio de azo y un pincel plano a lo largo de la hierba y la vegetación para colorear las partes que quedaran en blanco.

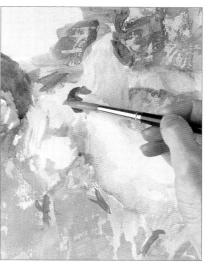

11. Mezclar rojo claro de cadmio, siena tostado y un toque de violeta, y pintar la cresta y las barbas de la gallina.

12. Para pintar la cresta y las barbas del gallo se mezcla rojo claro de cadmio con un poco de amarillo medio de azo, a fin de obtener un rojo más brillante.

13. Pintar las patas de los animales con las dos mezclas de rojo; después se añade sombra y forma a las cabezas. Los picos se pintan con ocre amarillo.

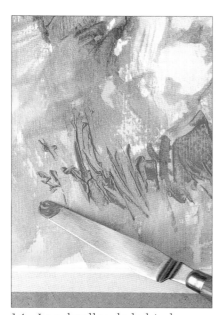

14. Los detalles de la hierba y vegetación en primer plano se construyen con una espátula y una mezcla seca de verde vejiga permanente y un toque de verde oliva.

15. Añadir toques de azul cerúleo y blanco titanio a la mezcla verde y continuar pintando la hierba, utilizando variaciones de tono y diferentes trazos con la espátula. Mezclar verde vejiga permanente con violeta y siena tostado, y aplicar este color en partes de la cerca para crear sombras y la apariencia de envejecimiento.

16. Mezclar azul cerúleo, blanco titanio y medio de empasto, y pintar las plumas con una espátula para dar volumen a los animales.

17. Añadir luminosidad en las plumas con una mezcla banco titanio y un toque de medio de empasto. Introducir los detalles finos usando una espátula en punta.

18. Añadir un toque de azul cerúleo a la mezcla y pintar puntos de luz en las plumas de la cola del gallo. A continuación, añadir a la mezcla violeta y definir algunas plumas más oscuras. Utilizar la misma mezcla para resaltar zonas oscuras en el cuerpo de ambos animales.

19. Utilizar una espátula y una mezcla de azul ultramar y verde oliva para definir más las plumas de la cola de la gallina. Los ojos de los dos animales se pintan con la misma mezcla y un pincel redondo.

20. Con una mezcla de color gris a base de siena tostado y azul cerúleo se pintan con pinceladas cruzadas las plumas del cuello del gallo, utilizando un pincel fino. Hacer una mezcla más oscura y añadir más pinceladas para definir la forma y crear una zona oscura debajo del cuello de la gallina. Mezclar siena tostado con un toque de azul ultramar y pintar de la misma forma las plumas del cuello de la gallina.

La pintura terminada

Índice alfabético

acantilados 24-29
amapolas 15, 18, 24
árboles 14, 15, 17, 19

bocetos 9, 24-25, 32, 42

cielos 14, 15, 19, 20-23, 30
composición 24-25, 32, 42
conchas 6
cuaderno de bocetos 9

empasto 6, 11, 16, 32, 33, 40, 42, 46
espátulas, 6, 8, 11
    pintura con 16, 19, 22, 30, 33, 38, 45, 46

fotografías 32, 42

gallos 42-47
geranios 13, 32, 35

hierba 24, 27-29, 30, 44, 45
húmedo sobre húmedo 15, 18, 21, 24, 32, 35

lavados 18, 20, 26-29, 34, 38, 43-44
levantado del color 15, 20, 29, 42, 43
    aleatorio 17, 42, 43
líquido de reserva 11, 17, 18, 21, 24, 26, 28, 30, 32, 33, 37, 40

mar 7, 14, 26, 30
margaritas 18, 24-29
mezcla de colores 12
muro de piedra 32-38, 40

nieve 16, 19
nubes 15, 20-23

papeles 10
paredes 16, 32-38, 40
pinceles 11
pinturas 10
punto focal 19, 24
puntos de luz 17, 22, 23, 29, 30, 32, 46

sol 14, 21, 23

sombras 15, 19, 20, 28, 35, 36, 37, 38, 45
superficies pintadas 6, 10

técnicas
    acuarela 14-15 véase también lavados; levantado de color; veladuras; húmedo sobre húmedo
    óleo 16, 22 véase también espátula, pintura con; empasto; transparencia
    otras 17 véase también líquido de reserva; levantado del color, aleatorio
texturas 6, 11, 16, 24, 30, 31, 33, 40
transparencia 16, 32, 42

vegetación y follaje 23, 24-29, 35-36, 38, 44, 45
veladuras 15, 16, 17, 27, 29, 32, 34, 36, 38, 42, 44

Río tranquilo
355 x 230 mm

Este apacible paisaje de río cerca de mi casa me pareció un tema ideal para la última pintura del libro. En ella mezclé muchos de mis colores favoritos con verdes ya preparados, como el verde vejiga permanente, para lograr un amplio surtido de tonos de este color: violeta y verde oliva para tonos oscuros, azul cerúleo para las zonas sombreadas; siena tostado para tonos medios; y ocre amarillo y amarillo medio de azo para tonos soleados. La luz radiante de esta pintura se basa en el contraste de tonos claros y oscuros, tanto en el agua como en los árboles.